CW00538809

Welcome to our HappyStoryGarden!

Зинаида Кирко

Остров Драконов

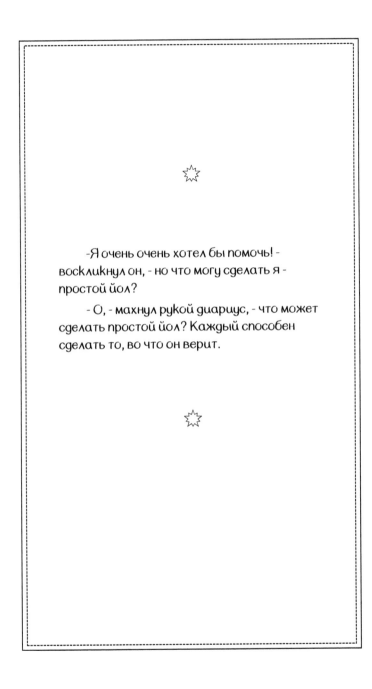

-Я очень очень хотел бы помочь! - воскликнул он, - но что могу сделать я - простой йол?

- О, - махнул рукой диарцус, - что может сделать простой йол? Каждый способен сделать то, во что он верит.

Глава 1

Благородные Йолы

Город йолов находился на огромном холме. Настолько огромном, что йолы никогда не были у его подножия. Они никогда не выбирались за пределы их маленького мира и даже не знали, что он существует.

Дом Гроханов был одним из самых ветхих. Он стоял еще с тех времен, когда в город приходили чужестранцы и рассказывали небылицы, от которых йолы только ухахатывались, не веря ни единому слову. Но чужестранцы были только легендами, как и то, что они говорили. Так считали все йолы, кроме Гроханов. Ведь их дом был одним из самых древних.

Семья Гроханов была небольшой. Старик Грохан, который был так стар, что уже много лет не выходил на улицу. Он был низенький и крючковатый, с длинной седой бородой, опутавшей весь пол дома. Его дочь Рузельда, на которой держалось всё хозяйство, была тихой милой женщиной, с огромными глазами цвета дождливого вечера. Все свободное время она мастерила украшения из металлов и всегда молчала, в жизни ни промолвив ни слова. А её сын Арвин, которому только исполнилось четырнадцать, был невысокий шустрый мальчуган, который не помнил ни дня в своей жизни, когда бы он не работал.

Каждое утро Арвин вставал раньше всех и выходил на улицу. Дом Гроханов находился на обрыве холма, на самом его краю. Арвин очень любил наблюдать за бесконечным океаном облаков, простиравшихся во все стороны. А позади был город…шумный и скучный. Арвину хотелось убежать от него, уплыть по облакам. Но куда? Что находилась там, за его пределами? Или что было внизу на дне обрыва?

-Этого не знает никто..., - отвечал на его вопросы старик Грохен...но ходят легенды...

И все вечера старик рассказывал Арвину о чужестранцах и о том, что они говорили людям много-много лет назад.

В течение дня Арвин работал много и тяжело - таскал тюки с мукой. Йолы в основном питались хлебом их семиста сортов муки, которые выращивали сами и очень этим гордились.

Когда Арвин пытался заговорить с ними о чужестранцах или легендах, они только крутили пальцем у виска и хохотали. Гроханов все считали странными и полоумными и поэтому Арину всегда доставалась только самая тяжелая работа, от которой отказывались остальные.

Целый день Арвин ждал вечера, чтобы снова окунуться в сказки и легенды. Он представлял, что однажды в их город, наконец, придет чужестранец и Арвин узнает у него всю правду.

В тот день, когда Арвину исполнилось четырнадцать, он пришел домой особенно усталым. Но на столе его ждал вкусный ужин, приготовленный Рузельдой, а старик Грохан уже ждал его с новой историей. Он прокашлялся, когда мальчик проглотил последний кусочек хлебной запеканки и сказал:

-Сегодня я расскажу тебе особенную историю...про остров Драконов, - Арвин широко открыл глаза и приготовился слушать, - А особенная она потому, что в отличие от всех остальных историй в этой сказке только правда и никаких сомнений нет!

-Как ты можешь быть так уверен? – спросил Арвин.

-О..., - сказал старик, - я берег эту историю много лет, чтобы однажды рассказать её тебе. Давным-давно...когда я был еще очень молод и город йолов не был так велик, как сегодня, а туман облаков под обрывом не был так плотен, мой прапрадед рассказал мне историю про йола, который упал в небеса и попал на остров Драконов.

-Но как можно упасть в небеса? – недоумевая спросил Арвин.

Старик Грохан развел руками.

-Поди знай! Да только прапрадед сказал мне – до тех пор, пока йол не упадет в небеса, он так навсегда и останется всего лишь йолом. А если ты хочешь стать кем-то другим или проверить легенды на прочность, тебе нужно совершить нечто невероятное. Так вот тот самый йол...упал в небеса, а затем оказался на острове Драконов. И чего только он не пережил там и не увидел...

-Но как он вернулся домой? И как другие узнали о его путешествиях?

-Вот то-то и оно...что назад он вернулся на спине дракона! Самого настоящего дракона...кожа его была покрыта огромными золотыми чешуями, а глаза были добрыми и мудрыми, и мой прапрадед сам видел, как этот самый йол высадился на землю со спины дракона!

-И что же было потом?

Старик Грохан тяжело вздохнул.

-Йолы смеялись над ним до самой его смерти. Так он захворал и умер, не сказав никому больше ни слова до последних своих дней. Но в чем точно сомнений нет, так это в том, что остров Драконов существует.

Арвин не мог уснуть до самого утра. История, которую рассказал ему старик Грохен не давала ему покоя.

-Если остров и вправду существует, так почему же не найти его? – тряс он старика за плечи еще до рассвета.

-А? Что? – просыпаясь и потирая глаза спрашивал старик.

-Где он? Этот остров? – не унимался Арвин.

-Плавает где-то в тумане, - кряхтел старый Грохан, - но говорю же тебе, чтобы найти его...нужно упасть в небеса...

Весь день Арвин таскал тюки с мукой, и они казались ему особенно тяжелыми. Как он мог заниматься таким бесполезным делом, когда было совершенно ясно, что где-то посреди облаков и тумана плавает остров драконов?

После работы он не пошел домой, а решил отправиться на другую сторону города. Там на другом краю находился дом Ихаров. Они были богаты, очень богаты. По сравнению с жильем Гроханов их дом был просто дворцом!

Ихары занимались инженерным делом. Все новые строения в городе были сделаны ими. Говорили, что нет ничего такого, что не могли бы построить Ихары. Они любили свое дело, занимались им с упоением и их стремление к безупречности доходило до безумия.

Однако все в городе знали, что славились Ихары не этим. В глубоких подвалах они занимались алхимией и творили чудеса, которые были доступны только им. Поэтому в городе их все боялись.

Вечер был необычно тихим и темное небо, усыпанное звездами, было особенно ясным. Арвин остановился возле дома Ихаров в нерешительности. Ему было страшно, как никогда раньше в жизни. Белые мраморные колонны их дома были слишком идеальны по сравнению с прогнившими деревянными ставнями жилища Гроханов.

-Заходи, мой юный друг, чего ты ждешь? – услышал он спокойный голос.

Арвин поднял глаза вверх и увидел на балконе высокого йола в черном бархатном костюме. Йол сдержанно улыбнулся и указал рукой на дверь.

Арвин сглотнул от страха, но взял себя в руки, и сделал несколько шагов вперед. Дверь перед ним открылась, и он оказался в просторной гостевой комнате. Повсюду были вазы со свежими цветами, богатые гобелены и мебель самой искусной работы.

Ихары, вышедшие из разных комнат, были слишком красивыми и слишком утонченными. Они окружили мальчика и провели его в гостиный зал, а затем уселись вокруг, взирая на него с интересом.

-Кто ты? – спокойно спросили они, - И что тебя привело к нам в такой поздний час?

Но от их благородного вида и лоска у Арвина во рту пересохло. Он представил, как они начнут смеяться над ним и не мог сказать ни слова.

-Он, наверное, ошибся домом, - сказала молодая йолана и протянула мальчику стакан воды.

-Да нет же, - возразил старший йол, - по глазам вижу это клиент.

-Ну же, - подбодрил его молодой йол, - скажи нам, зачем ты пришел?

Арвин выпил воды и вдохнул как можно больше воздуха в грудь.

-Я хочу, чтобы вы построили мне корабль, который упадет в небеса и приведет меня на остров Драконов, - выпалил он.

Йолы переглянулись. Они не смеялись, но были поражены…озадачены. Они молчали и каждый, видимо, оценивал в голове, реальность и сложность задачи.

-Таких заказов нам не поступало никогда, - наконец сказал старший Йол.

— Значит, вы считаете, что это невозможно? – удрученно спросил Арвин.

-Напротив, - возразил йол, который до этого молчал - для нас не может быть ничего невозможного.

Остальные Ихары закивали. Они выглядели серьезно и даже немного обеспокоенно, будто им был брошен вызов.

-Видишь ли, - сказал старый Ихар, - если мы не выполним твой заказ, йолы в городе больше никогда не будут считать нас самыми великими инженерами и строителями.

-Однако, остается вопрос, - сказала вторая йолана, - как ты заплатишь нам за свой заказ?

-Я отдам вам всё, что накопил за многие годы работы, - сказал Арвин. Он был явно удивлен их заинтересованностью.

На лицах Ихаров заиграла усмешка.

-Нет, - покачала головой йолана, - этого недостаточно. Ты…, - она задумалась, - принесешь нам драконье сердце.

Остальные согласно кивнули.

-Сердце самого большого дракона! – протянул старый Ихар.

-Тогда все в городе будут знать, что мы самый сильный семейный клан и вся власть будет принадлежать нам!

-Да, - согласились остальные Ихары, - ты согласен?

Арвин не знал, что ответить. Он ничего не знал о драконах, но и представить не мог, как и за что мог бы им навредить. Однако он понимал, что, если не попадет на Остров Драконов, его жизнь будет бессмысленной, поэтому он только кивнул им в ответ.

-Прекрасно, - захлопали в ладоши Ихары и стали пожимать Арвину руки, - ты наш самый необычный клиент.

Арвин встал, чувствуя, что они и так проявили к нему слишком большую доброту, и он больше не мог их задерживать.

-Приходи к нам через девять полных лун, и ты получишь свой корабль.

-Спасибо, - только и мог сказать Арвин, перед тем как за ним захлопнулась дверь благородного дома.

Всю дорогу домой он бежал не останавливаясь, а достигнув дома обогнул его и вышел к облачному океану. Облака клубились и стелились вперед на сколько хватало глаз, подсвечиваемые светом звезд и лун. А где-то там…за горизонтом его ждал далекий и таинственный…Остров Драконов.

Глава 2

Корабль Наоборот

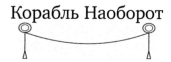

Все девять лун прошли для Арвина незаметно. Он ничего не сказал Рузельде и старику Грохану, а только работал сколько хватало сил и, приходя домой, размышлял о будущем.

-Что-то ты совсем стал неразговорчив в последнее время, - сказал ему как-то за ужином дед, - будто сказки и легенды тебя больше не интересуют.

Арвин встал и подошел к окну. Он не умел врать и пытался скрыть взгляд от старика. Но от него он ничего не мог утаить.

-Знаю...знаю, ты задумал что-то, - сказал тот, - но можешь не говорить мне. Знай только, что куда бы ты ни отправился, не забывай про город йолов - город посреди океана облаков. Ведь где-то еще ты всегда будешь только лишь чужестранцем, а здесь...

-Что толку? – не выдержав спросил Арвин, - не зря чужестранцы перестали приходить сюда. Йолам ничего не интересно!

Он улегся спать и отвернулся. Старик же вздохнул.

-Ты хочешь упасть в небеса..., - протянул он, - но сможешь ли выдержать это? Расскажу тебе еще одну сказку...про драконье сердце...

Все девять лун прошли для Арвина незаметно. Он ничего не сказал Рузельде и старику Грохану, а только работал сколько хватало сил и, приходя домой, размышлял о будущем.

-Что-то ты совсем стал неразговорчив в последнее время, - сказал ему как-то за ужином дед, - будто сказки и легенды тебя больше не интересуют.

Арвин встал и подошел к окну. Он не умел врать и пытался скрыть взгляд от старика. Но от него он ничего не мог утаить.

-Знаю...знаю, ты задумал что-то, - сказал тот, - но можешь не говорить мне. Знай только, что куда бы ты ни отправился, не забывай про город йолов - город посреди океана облаков. Ведь где-то еще ты всегда будешь только лишь чужестранцем, а здесь...

-Что толку? – не выдержав спросил Арвин, - не зря чужестранцы перестали приходить сюда. Йолам ничего не интересно!

Он улегся спать и отвернулся. Старик же вздохнул.

-Ты хочешь упасть в небеса..., - протянул он, - но сможешь ли выдержать это? Расскажу тебе еще одну сказку...про драконье сердце...

Арвин тут же навострил уши, приготовившись слушать.

-Тот йол...что попал на остров Драконов вернулся за помощью, а оседлал дракона он не просто так..., - сказал старик, -.... Кхе...кхе...

Арвин сел на кровати и повернулся к старику, чтобы дослушать историю, но тот уже спал крепким сном. Арвин стал тормошить его, но это не помогло.

-Будь осторожен, - ворчал старый йол, снова засыпая, - просто будь осторожен, мой мальчик...

Рано утром, еще до того, как начался рассвет, Арвин проснулся. Он тут же заметил на своей руке браслет и понял, что это был подарок от Рузельды. Вероятно, она тоже догадалась, что он собирался покинуть дом.

Некоторое время он стоял в нерешительности. Он не хотел покидать их. Кто будет помогать его матери и деду? И что, если с ним что-то случится, и он больше не сможет вернуться? Однако рассвет приближался.

Мальчик подошел постели Рузельды и поцеловал ее во сне. Как же будет она им гордиться, когда узнает обо всем, что он расскажет ей, когда вернется.

Арвин вышел и с тяжелым сердцем отправился к дому Ихаров. Он не шел, а бежал по утреннему городу мимо маленьких и высоких зданий по дорогам, которые знал как свои пять пальцев, чтобы как можно скорее узнать выполнили ли свое обещание благородные йолы.

Но когда он приблизился к их дому, ему сразу стало ясно, что им это удалось. Над высоким зданием на заднем дворе возвышалось нечто огромное накрытое богатой тканью. А Ихвары стояли вокруг, поджидая появления Арвина.

-Вот и он, - сказала старая йолана, - отважный юнец дома Гроханов.

-Готов ли ты рискнуть всем и отправиться в путь за драконьим сердцем?! – спросил старый йол.

-Потому что отказываться уже поздно! – сказал молодой Ихар.

Арвин только кивнул в ответ.

Йолы сняли богатое покрывало и перед ним предстал огромный корабль. Однако это был не просто корабль. Он висел в воздухе вверх дном! Молодой человек ахнул от удивления. «Как же я управлюсь с этим кораблем один?!» - подумал он. Но Ихары будто прочитали его мысли.

-Давай же, заберись под него, - сказал старый йол, - и ты сам всё увидишь.

Арвин неуверенно шагнул вперед, а затем нырнул под борт корабля и очутился на самой его палубе. Он увидел два десятка деревянных гребцов, сидящих за веслами вниз головой. И не успел он и рта открыть, как они тут же принялись за дело. Арвина будто приклеило ко дну, который уже несся на всех парусах вперед, а когда он обернулся, дом Ихаров остался далеко позади.

И вот он уже поднимался всё выше и выше в небеса на корабле наоборот, а под ним проплывал город йолов, как всегда утопающий в облаках. Гребцы же не унимались, а гребли вперед с удвоенной силой, пока наконец не исчезло всё, кроме бесконечного неба.

Так они плыли по небу несколько дней и ночей, а Арвин всё всматривался вниз в поисках земли или чего-то, что напоминало бы ему Остров Драконов. Он вдыхал свежий воздух проносящихся мимо ветров и его охватывало чувство будущих великих открытий. Теперь-то легенды оживут, думал он, и станут реальностью. Он также думал над словами старика Грохана о том, что не стоит забывать остров и решил, что обязательно вернется, чтобы сделать что-то значительное для народа йолов. Но что мог сделать он простой маленький йол?

Однако день шел за днем, вода и провизия заканчивались, а берега всё не было видно. И уверенность Арвина стала колебаться. Он сидел у борта и наблюдал за облаками и туманом, которые закручивались в причудливые формы и образы, которые то напоминали ему берег, то родной город йолов, но лишь таяли стоило ему только присмотреться. И вот, когда он совсем потерял надежду, нечто заблестело вдали. Арвин напрягся и присмотрелся. Неужели новый обман? Но нечто уверенно приближалось к нему и вскоре неуклюже плюхнулось и повисло на дне корабля вверх тормашками.

Арвин тут же приблизился к существу. Это была маленькая птица с ярко золотыми перьями. Она было явно измождена. Молодой человек тут же принес воды и напоил её. Птица вскочила и с испугом посмотрела на своего спасителя.

15

-Кто ты? - вдруг спросила она.

Арвин ахнул от удивления, но тут же осознал, что должен быть вежливым со своим новым гостем.

-Я Арвин, - ответил он, - йол из города на бесконечном холме посреди облаков.

Птица облегченно вздохнула.

-Ах йолы, - усмехнулась она, - те, что ничего не видели и ничего знают!

И тут же засмеялась.

-Именно поэтому, я должен всё увидеть и всё узнать! – сказал Арвин.

-И что же ты сделаешь со всем этим знанием? – спросила птица.

-Я создам карту небес, чтобы все йолы могли

путешествовать куда и когда захотят, и чтобы все они знали, что и где находится!

-Какие благородные мечты, - сказала птица, гордо вышагивая по борту корабля, - однако вот уже сколько дней, ты бесцельно бороздишь небеса и никакого толку!

И тут же снова рассмеялась.

Арвин удрученно вздохнул. Он знал, что это было правдой.

-Я помогу тебе, - сказала птица, - если ты поможешь мне.

Арвин тут же насторожился.

-Видишь ли, - сказала птица, - я диариус. Она тут же превратилась в маленького человечка, настолько крохотного, что он мог уместиться на ладони, - я могу быть птицей, а могу быть человеком. Он пригладил свои ярко белые длинные волосы, - а могу быть сразу множеством птиц. Мы подслушиваем важные тайны мира во всех его уголках и рассказываем кому нужно.

И перед Арвином возникла целая стая птиц, которая затем снова превратилась в хохочущего человечка.

-Нас, диариусов, осталось слишком мало и все мы служим благородному роду лемуаров, который находиться на острове Драконов. Именно туда, мне и нужно попасть, как можно скорее! Но, увы, без твоей помощи я не смогу этого сделать.

-Именно туда я и направляюсь, - воскликнул Арвин, - но увы, уже много дней не могу найти верный путь.

-То-то и оно, - засмеялся человечек, - сразу видно, что ты из рода йолов, - поверни руль корабля так, чтобы он упал в небеса и очень скоро ты окажешься там, где нужно.

Арвин тут же направился к рулю, но внезапно остановился.

-Но что меня ждет на острове Драконов? – спросил он.

«О, - сказал человечек, — остров погряз в войне». Еще совсем недавно всё было прекрасно, пока драконами на острове управлял повелитель драконов Уль. Однако его предал и уничтожил его лучший друг Гергус. Он забрал его силу и стал повелевать всеми драконами острова, творя зло и уничтожения.

17

Он наводит страх не только на местных жителей, но и на все окружающие страны, грозясь подчинить их своей воле. Но самое ужасное - Гергус забрал в плен дочь великого рода лемуаров Эльму, которая должна была стать правительницей, достигнув совершеннолетия, и теперь никто не знает где она. Именно её я и ищу.

Арвин и представить не мог, что столько всего происходило в мире, а йолы никогда и не слышали об этом.

-Я очень…очень хотел бы помочь! – воскликнул он, - но что могу сделать я…простой йол?

-О, - махнул рукой диариус, - что может сделать простой йол? Каждый способен сделать то, во что он верит. А если ты не веришь ни во что, то и ничего не сможешь! – засмеялся он, - Однако, если ты не боишься, поверни руль и доставь меня на остров Драконов как можно скорее!

Арвин тут же поднялся на палубу и со всей силы крутанул колесо руля. В следующее мгновение огромный корабль перевернулся и встал прямо по другую сторону небес. Дно оказалось на дне, а паруса бороздили синее небо.

-Ничего себе, - воскликнул Арвин.

А вдали уже виднелся величественный зеленеющий берег. Но самое прекрасное было то, что над ним кружили драконы!

-Неужели это…?

-Остров Драконов, - закончил за него фразу человечек и, превратившись в стаю маленьких золотых птиц, разлетелся по небу и исчез.

Глава 3

Остров Драконов

Деревянные гребцы работали без устали и корабль уже приближался к заветному берегу. Сердце Арвина билось все чаще. Неужели сказки и легенды наконец становились реальностью? Он предвкушал, как расскажет обо всем йолам, вернувшись обратно и как они будут считать его героем.

Но как только корабль причалил, его тут же окружили существа, каких Арвин никогда не видел прежде. Они были тучнее, выше и гораздо грязнее йолов. Их косматые головы то чернели, то отдавали рыжиной, а носы и уши были такими уродливыми и большими, что на них было неприятно смотреть. Их называли ратрами, диким народом, который Гергус нанял для того, чтобы контролировать захваченные им земли.

-Кто ты и зачем прибыл?! – заорали они, тут же вонзая топоры в нос корабля.

-Дерево! – заключил самый толстый ратр, - хороший бук, ценная вещь!

-Не трогайте, - запротестовал Арвин, - на этом корабле мне нужно вернуться обратно!

Ратры захохотали, но тут же присели как один. Откуда-то сверху на мир наползла огромная тень, за ней последовало длинное тело, покрытое темно-желтой чешуей, и уже через минуту среди них приземлился дракон. Несколько мгновений он отряхивался и складывал свои перепончатые крылья. Затем повернулся и его огромные горящие янтарным огнем глаза впились в мальчика.

-Что здесь происходит? – спросил он и выпустил столб огня в воздух.

Существа засуетились.

-Мальчишка чужестранец! – закричали они дракону, приседая и прячась.

-Уничтожь его! Прикончи на месте!

Но Арвин их не слышал и не испытывал страха. Он смотрел на дракона как зачарованный, будто тот загипнотизировал его одним своим видом.

-Неужели ты не боишься меня? – спросил дракон, наклонившись к Арвину.

-Нет, - ответил мальчик.

-Хахаха, - засмеялся дракон, -такой маленький человек и не испытывает страха…, -он тут же выпустил еще несколько столпов огня в воздух, но Арвин не шелохнулся.

-Гергус приказывал убивать непокорных чужестранцев на месте, - зашипели ратры, - неужели ты ослушаешься Властелина?!

Глаза дракона потускнели.

-Он йол…из страны йолов…, - внезапно крикнул ратр.

Дракон встрепенулся, услышав это и выдохнул еще один столп огня. Однако тут же принял бесстрастный вид.

-Киньте его в темницу, - сказал он, - Гергус наверняка захочет посмотреть на еще одного йола упавшего в небеса!

С этими словами он тут же развернулся и взмыл в воздух, забирая с собой тень и возвращая солнце.

Ликующие Ратры схватили Арвина и потащили прочь, а когда он оглянулся то увидел, как они раскалывают топорами его летающий корабль в щепки. Молодой человек вскрикнул в отчаянии. Он увидел столько нового и удивительного, но теперь, увы, не сможет рассказать об этом йолам никогда.

Арвина грубо волокли по улицам города с диковинными строениями, разноцветными стенами и крышами, мощеными улочками и прозрачными мостами. Вокруг было чисто и уютно, и молодой человек недоумевал, как такие грязные и неуклюжие существа, как ратры, могли создать такую невероятную красоту. Но вскоре ему стало ясно, что за дверьми и окнами строений прятались совсем другие существа. Они были стройными и невероятно красивыми, но тут же исчезали так быстро, что Арвин не успевал их разглядеть.

Вскоре мальчика втолкнули внутрь огромной башни и повели вверх по крученым лестницам, которым, казалось, не будет конца. Когда они поднялись на самый верх, дверь открылась и пленника втолкнули внутрь. Он оказался на небольшом плато, откуда открывался вид на весь остров.

-Очень скоро ты станешь драконьим ужином, - захохотали ратры, - а, возможно, Гергус решит съесть тебя сам, как только узнает, кто ты такой.

Они приковали его за ногу к каменному выступу и захлопнули дверь.

Арвин знал, что он был не первым йолом, но его предшественник явно снискал себе славу на острове. В недоумении он попятился назад и тут же наткнулся на кого-то спящего в углу.

-Осторожно, - услышал он звонкий голос, - я пытаюсь поспать.

Арвин обернулся и увидел, существо, похожее на тех, кого он видел на улицах города.

-Кто ты? – тут же спросил йол.

-А…, - протянуло существо, - еще один пришелец, - тянет же вас всех поглазеть на драконов…и никто не осознает, как они опасны.

Арвин вздохнул. Но существо потянулось и село.

-Я Лой, - сказал заключенный, - из народа лемуаров.

Он был худощав, строен и очень красив, как и все лемуары. А когда он улыбался, казалось, что счастливее существа не было в мире. Арвин тут же почувствовал себя неуютно, ведь йолы были низкорослыми и крепкими с кисточками шерсти на ушах и, как ему казалось, не славились красотой.

-Я Арвин, - сказал он и присел на грязный пол, - йол из страны йолов.

-Ничего себе, - воскликнул Лой.

-Что такое? – обидевшись спросил Арвин, - почему все так удивляются, узнав, кто я такой?

-А разве ты сам не знаешь? – удивился Лой, - разве Уль вам ничего не рассказывал?

Уль? Арвин вспомнил, как человечек-птица диариус упоминал о нем, но понятия не имел, кем он был.

-Уль был йолом! – заявил Лой, - неужели ты не знаешь?!

Арвин вздохнул. Он бы знал, если бы остальные йолы умели слушать и верить, а не смеялись бы над чужестранцами.

-Расскажи мне всё что знаешь! – нетерпеливо потребовал он.

Лой устроился поудобнее и начал свой рассказ.

-Когда-то давно на нашем острове правили мы, лемуары, а драконы жили своей жизнью, постоянно разоряя наши города и деревни, поедая скот и выжигая поля. И не было у нас никакого от них спасенья, ведь драконы считали себя гораздо умнее и сильнее нас. Но однажды на наш остров прибыл молодой йол по имени Уль. Говорят, он выглядел совсем как ты! И когда он узнал, о нашей беде, тут же пообещал нам помочь! Так вот, Уль исчез, а ровно через десять дней вернулся и...

Лой замолчал, потягивая и зевая.

-Ну же, продолжай! – нетерпеливо потребовал Арвин.

-Так вот…когда Уль вернулся, - продолжил Лой, - все драконы…чудеса, да и только…но все драконы стали его слушаться!

-Как так? – удивился Арвин.

-Говорю же тебе! Прибыл он на остров и говорит: «Драконы острова, придите ко мне!» и все драконы тут же к нему слетелись…сотни…тысячи драконов и стали его слушать. А он говорит: «Больше вы ни разорять, ни уничтожать города не будете, а будете помогать благородному народу лемуаров и защищать его отныне и всегда!». И драконы согласились! Как же ликовали лемуары…!

-Что же случилось дальше? – спросил Арвин.

-Хм…расскажу, - Лой встал и прошелся по краю плато, оглядывая просторы, - был у Уля друг из неизвестных земель по имени Грегус, которого он привез с собой. Так вот Грегус стал завидовать ему. А всё потому, что оба они влюбилась в дочь правителя острова Маю, а она предпочла неуклюжего йола красавцу Грегусу.

Лой засмеялся, но Арвин не видел в этом ничего смешного.

-Что же было дальше? – спросил он.

-Грегус узнал, что драконы слушаются Уля, потому что тот обладал неизвестной никому вещью…которая упала к нему с самых небес.

Арвин широко раскрыл глаза от удивления.

-Солнечный камень, - прошептал Лой так, будто бы это было большой тайной, - говорят он светится ярче тысячи солнц и драконы готовы сделать всё для его обладателя!

-Но где он его взял? – не веря своим ушам спросил Арвин.

-Говорю же – с небес, - повторил Лой и воздел руки к небу, - вы йолы не только о мире ничего не знаете, но и о себе самих тоже!

И Лой снова засмеялся.

-Рассказывай дальше, - попросил Арвин.

-Так вот, - продолжил лемуар, - Грегус сделал это всё, чтобы отобрать власть у лемуаров и покорить сердце Маи, но она отказалась выйти за него замуж и сбежала с Улем. И тогда Грегус приказал драконам уничтожить их обоих. И драконы сделали это.

-Но ведь Уль вернулся в город йолов живым и невредимым, - возразил Арвин, - мне дед рассказывал!

Лой согласно покачал головой.

-Когда драконы направили на них тысячи столпов огня, Мая умерла на месте, а Уль…его огонь не тронул! Более того, один из драконов, который был ему самым верным другом, подхватил его и унес в небеса…С тех пор его никто никогда не видел, а островом правит Грегус, который, благодаря камню, не стареет и захватывает всё больше и больше земель…

-А кто такая Эльма? – спросил Арвин.

-Ммм…кто-то уже рассказал тебе о ней…, - сказал Лой с печалью в голосе, - Эльма дочь благородного рода лемуаров, наследница правления.

Грегус держит её в заточении, чтобы все лемуары подчинялись ему, ведь они лучше умрут, чем будут слушаться такого правителя.

По щеке Лоя стекла слеза.

-Почему ты плачешь? – спросил Арвин.

-Я плачу, - ответил Лой, - потому что Эльма моя сестра. И весь наш благородный род практически уничтожен Грегусом.

Арвин поверить не мог в то, что слышал.

-Значит, ты брат наследницы престола лемуаров?

-Да, - ответил Лой, печально глядя на просторы острова, открывающегося с плато, - но увы, я больше никогда не увижу свою сестру...разве что только...

Он повернулся к Арвину.

-Что? – спросил Арвин.

-Ты йол! – сказал Лой, - отважный сильный и могучий йол, такой же, каким был Уль! Ты должен нам помочь!

-Неет, - протянул Арвин, - я простой ничем не примечательный грузчик муки и ни на что не способен!

-Хахаха, - рассмеялся Лой, - я видел, как там, ты стоял и гордо без страха смотрел дракону в глаза! Я бы так не смог! Никто не смог бы! Поэтому ты должен помочь нам!

Арвин задумался. Он вспомнил слова диариуса, о том, что должен был поверить в себя и решил попробовать.

-Хорошо, - сказал он решительно и встал, - мы должны выбраться отсюда как можно скорее! Мы должны спасти твою сестру и восстановить справедливость!

Глаза Лемуара загорелись.

-Я же говорил! – заорал он, - ты станешь еще более великим, чем Уль!

-Тише, - приложил палец к губам Арвин, - стража не должна услышать, - как нам отсюда выбраться?

-Из этой башни не выбирался еще никто! – сказал Лой шепотом, - Я уже давно здесь нахожусь и знаю, что все, кто сюда попал, этого не заслужили, но рано или поздно все они становятся ужином драконов. А меня, так как я благородного рода, будут держать здесь пока я сам не умру.

-Мы выберемся отсюда во что бы то ни стало! - заверил его Арвин

Лой вытер слезы и улыбнулся с надеждой.

-Я знал, что однажды, на этот остров прибудет еще один йол, который спасет нас!

Арвин целый день ходил взад и вперед по плато, звеня цепью. Он осматривал каждый уголок, а Лой наблюдал за ним, стараясь не мешать.

Наконец, мальчик сел на холодный пол и склонил голову на руки. Он должен был предпринять что-то, чтобы выбраться из этой башни. Ведь Лой верил в него. Теперь просто вернуться в город йолов было бы недостаточно. В своем воображении, он уже представлял, как спасет Эльму, заберет у Грегуса солнечный камень и восстановит справедливость на острове. Хотя всё это представлялось ему невозможными мечтами.

Арвин потер рукой лоб и тут же вскрикнул от боли. Браслет на его руке больно уколол его. Он тут же снял его. Подарок от Рузельды. Он так и не успел как следует рассмотреть его.

Но теперь…он покрутил браслет в руках…ему стало казаться, что было в нём что-то чудное. Мальчик потянул его и браслет тут же превратился в ключ. Арвин всегда знал, что его мать была непростой женщиной. Несмотря на то, что она все время молчала, Рузельда была очень умной и изобретательной. И теперь, он понял, что подарок, который она сделала для него, обладал чудесными свойствами.

Он тут же вставил ключ в замок цепи. Тот изогнулся, скрипнул и Арвин стал свободен. Лой чуть ли не вскрикнул от радости, но тут же прикрыл рот рукой. Йол освободил и его.

- Что же нам делать дальше? - спросил Лой, потирая затёкшие ноги.

Приближался закат, и небо горело яркими красками.

- Дождёмся темноты, - сказал Арвин, - а затем попробуем спуститься вниз.

- В одиночку нам не справиться, - сказал Лой и тихо запел какую-то песню.

Йол прислушался. Он никогда не слышал ничего подобного. Вскоре же он понял, что песня эта была не случайной. Подойдя к краю площадки, он увидел, что снизу вверх к ним медленно ползла виноградная лоза. Достигнув края, она остановилась, предлагая им сочные гроздья винограда. Лой тут же стал лакомиться ими, с улыбкой глядя, как его новый друг в недоумении смотрит на него.

- Лемуары обладают многими талантами, - сказал Лой, протягивая гроздь винограда Арвину, - помимо всего прочего, они умеют разговаривать с растениями. Познакомься, - добавил он и погладил лозу, - это Клаус. Он добрался сюда, чтобы помочь нам.

Арвин с радостью полакомился виноградом, а когда стемнело, они оба спустились вниз по лозе. А пройти мимо спящих ратров им не составило труда.

- Мы должны добраться до Водяных Садов, - сказал Лой, - только там нам удастся спрятаться от драконов, которые будут разыскивать нас утром.

- Водяные Сады? - удивился Арвин.

- В этом мире еще много такого, о чем вы йолы никогда не слышали, - с гордостью сказал Лой, - однако сады очень опасны. Никто в своем уме туда не заходит. Не уверен, что и у меня хватит духу.

- У нас нет другого выбора, - сказал Арвин и двинулся дальше.

Всю ночь до рассвета Арвин и Лой пробирались к садам. Но не успели они достигнуть их, как первые лучи солнца уже заблестели на сухой земле.

- Нам надо поторопиться, - обеспокоенно сказал Лой, глядя на небо, - драконы вот-вот нас догонят, а вокруг одни пустоши и негде скрыться.

Как только он это сказал, на горизонте появились три огромных черных тени.

- Драконы! - воскликнул Арвин.

И они вместе с Лоем кинулись бежать, что было сил.

- Сады уже близко, - сказал Лой, указывая на высокие зеркальные столбы впереди.

Внезапно один из драконов приземлился перед ними, и они остановились как вкопанные. До садов оставалось всего-то несколько шагов. Дракон был темно-красного цвета с огромными зелеными глазами.

- Так... так... так, - сказал он и расправил крылья, - неужели вы думали, что сможете убежать от нас?

Два других дракона, синий и черно-зеленый, приземлились рядом.

Лой боязливо спрятался за Арвина, который, уперев руки в боки, с вызовом смотрел на драконов.

- Мы ищем Грегуса, - сказал Арвин, - чтобы свергнуть его и освободить народ лемуаров!

Драконы засмеялись.

- Чтобы свергнуть Грегуса, ты, маленький незначительный йол, должен одолеть тысячи драконов, - сказал зеленый дракон, - а это не так просто, как ты думаешь. Знаешь почему?

Арвин отрицательно покачал головой.

- Помимо того, что мы способны испепелить вас одним дыханием, каждый из нас, - сказал синий дракон, - представляет собой силу настолько мощную, что её не способен одолеть ни один человек.

- Вот я, например, - сказал синий дракон, - обладаю силой печали.

Он выдохнул столб огня и Лой с Арвином почувствовали глубокую печаль. Она была настолько сильна, что они опустили руки, и им не хотелось продолжать двигаться дальше.

- Что же нам делать? - боязливо шептал Лой, за спиной у Арвина.

- Я, - сказал черно-зеленый дракон, - сила страха.

Он выдохнул столб огня и молодые люди испытали ни с чем не сравнимый ужас.

- Нееет, - протянул Лой и упал без сознания.

Драконы засмеялись, расправляя крылья и запрокидывая головы.

- А я..., - сказал, наконец, красный дракон, - сила злости.

Он набрал в грудь столько воздуха сколько мог и выдохнул его весь разом.

И в этот момент Арвин почувствовал сильный протест против всей несправедливости, какую испытывали лемуары на острове и йолы, жившие в неведении. Он поднялся и закричал так громко, что драконы притихли:

- Вам нас не одолеть!

Из браслета Рузельды вырвался столп света, который был так ярок, что ослепил драконов. Арвин схватил Лоя и побежал вперед так быстро, что достиг Водяных Садов в два счета. Драконы тут же ринулись за ними, но было уже поздно. Йол и лемуар скрылись в садах.

Глава 4
Водяные Сады

Арвин перевел дыхание и рассказал о том, что случилось Лою, когда тот пришел в себя.

-Ловко же ты застал их врасплох! – сказал Лой со счастливой улыбкой глядя, как драконы парят над ними, - однако, поверить не могу, что мы в садах, - он задрожал, оглядываясь вокруг.

Но Арвин думал о том, как сильны были драконы и как опасны, гораздо опаснее, чем он представлял. И ему нужно было найти способ одолеть их всех. Ему нужен был солнечный камень. Но как мог заполучить его он, простой йол? Арвин разглядывал высокие диковинные растения с основания до верхушки покрытые толстым слоем воды. Они сплетались и вились высоко вверх, создавая причудливые водяные джунгли, а дорожки между ними то сходились, то расходились, образуя узоры и запутывая любого, кто пытался найти дорогу.

-Насколько длинны эти сады? – спросил он и двинулся вперед.

-Говорят, они бесконечны, - ответил Лой, следуя за ним.

Внезапно Арвин остановился и протянул руку к одному из растений. Он тут же почувствовал легкий шепот, будто растение пыталось ему что-то сказать.

-Не трогай, - предостерег его Лой, - всё в этих садах опасно! Из них еще никто не выбирался живым.

Арвин тут же отдернул руку.

-Но ты же умеешь разговаривать с растениями, – вспомнил он, - спроси у них, как нам выбраться?

Лой побледнел.

-Это не простые растения, - сказал он, - они опасны и я…боюсь!

-Что ж, - сказал Арвин, - тогда это сделаю я.

Он протянул руку, но Лой остановил его.

-Ты йол не случайно прибывший на этот остров, - сказал он внезапно серьезно, - и ты должен исполнить свою судьбу во что бы то ни стало! - с этими словами Лой закрыл глаза и дотронулся до одного из растений.

В следующее мгновение он весь покрылся толстым слоем воды и исчез, оставляя за собой лишь брызги, которые, разлетевшись по небу, тут же исчезли.

-Нет! – закричал Арвин, - Лооой! – позвал он его, - Лооооой!

Но ответа не последовало, и его друг исчез бесследно.

Арвин почувствовал себя таким одиноким и таким беззащитным, что ему стало казаться, будто он зря представлял себе великие свершения, на которые вдохновил его Лой и что на самом деле он не был ни на что способен.

От отчаяния он двинулся вперед, невзирая ни на что, и шел по любым дорожкам, которые возникали перед ним. Пока внезапно земля не расступилась перед ним, и он не провалился в глубокую яму.

Он долго летел вниз, а вокруг были корни растений также сплетающиеся и вьющиеся в толщах воды. Но Арвину было всё равно. Он понимал, что это был конец его путешествия и он уже попрощался со стариком Гроханом, Рузельдой и городом йолов, которые, как ему теперь казалось, он всегда недооценивал и недостаточно любил. Так он летел еще долго, пока внезапно, не упал в воду.

Он медленно опускался на дно, глядя, как вокруг него в темноте проплывают огромные горящие глаза, множество глаз. Чьими они были, он не знал. Он лишь наблюдал, как они мелькают повсюду с любопытством глядя на него.

Внезапно среди корней он увидел Лоя. Его друг висел, оплетенный корнями, без сознания.

-Лоооой! – кричал Арвин, - Лооой!

Но из его рта только лишь беззвучно выплывали пузыри воздуха. Он кричал так долго и усердно, что вскоре потерял сознание.

Прошло много времени, когда внезапно, Арвин проснулся и почувствовал, как упал на огромный водяной пузырь, который разошелся, втянув его внутрь и закрылся обратно.

-Ааааа, - закричал мальчик, несясь на скорости вниз, и тут же больно ударился о землю.

Он поднялся и огляделся. Вокруг был огромный подводный город. Его жители медленно выбирались из домиков и окружали Арвина. Они были маленькими, ростом ему по колено, с огромными глазами и усами-антеннами, на которых висели огоньки света, прорезающие тьму.

-Йол…, - шептались они, - еще один йол…

Затем к нему вышел старейшина.

-Приветствую тебя, йол, - сказал он, - никто еще не добирался до нашего дна, даже твой предшественник Уль. Скажи же, зачем ты пришел?

Старейшина медленно пошел вглубь города, зовя Арвина следовать за собой.

-Во-первых, - сказал йол, - вы должны отпустить моего друга, во-вторых, вы должны выпустить нас из водяных садов, в-третьих…,- и он замялся, - не знаю, если бы вы могли помочь мне с этим…но я должен заполучить солнечный камень, чтобы победить Грегуса.

-Хм…хм…, -сказал старейшина, - видишь ли…ничто никогда не дается даром.

Он завел Арвина в огромное куполообразное здание, в котором повсюду была вода. Она висела в воздухе, на стенах и даже на потолке. И старейшина одним движением руки то закручивал её в вихри, то отгонял от себя в стороны. А повсюду были такие же маленькие существа. Наконец, они уселись возле небольшого озера и пригласили йола сесть рядом с собой.

-Мы, обитатели водяных садов, - охотники памяти, - сказал старейшина, - чтобы получить всё, что ты хочешь, ты должен пожертвовать чем-то.

-Чем например? – спросил Арвин.

-Что ж, - сказал старейшина, - чтобы освободить своего друга ты должен отдать мне одно воспоминание из своего прошлого. Лучшее воспоминание.

Арвин задумался. Это легко было сделать.

-Хорошо, - с радостью сказал он, - я готов.

Он вспомнил, как однажды на празднике муки, йолы похвалили его за усердную роботу и ему казалось, что весь город гордился им. А особенно старик Грохан и Рузельда. Какой же это был счастливый день! Но внезапно это воспоминание растаяло и исчезло, и он не мог вспомнить, о чем оно было. Что же это было? Арвин силился вспомнить, но не мог.

А перед ним появился Лой.

-Не верь им! – кричал он, - не верь ни единому их слову! Не верь!

Но его уже уносили прочь потоки воды.

Арвин встал, следуя за ним. Но старейшина остановил его.

-Я выполнил свое обещание, - сказал он, - но ты еще не исполнил все свои желания.

-Но как же мой друг? – спросил Арвин.

-Как я и обещал, - сказал старейшина, - он выбрался из садов целым и невредимым. Но ты…ты хотел победить Грегуса, разве не так? И овладеть силой способной подчинить себе драконов?

Это было правдой. Без этого Арвин не мог просто так уйти, поэтому он снова уселся рядом со старейшиной.

-Что ж, - сказал тот, - за такую помощь ты должен отдать мне все свои хорошие воспоминания за всю свою жизнь.

Арвин задумался. Помня слова Лоя, он всё не решался. Но разве не мог он расстаться с чем-то, что доставляло ему радость, если это послужило бы высшей цели?

-Я согласен, - сказал он наконец.

-Прекрасно, - расплылся в улыбке старейшина, - я не могу дать тебе солнечный камень. Только ты сам можешь овладеть им и подчинить драконов. Но, увы, без хороших воспоминаний тебе вряд ли это удастся!

В следующее мгновение Арвин почувствовал, будто кто-то забрал всю радость из его жизни. В его голове были только грустные темные воспоминания и ему уже не хотелось ничего.

-Ты думаешь, Грегус всегда был злым? Это мы сделали его таким! – засмеялся старейшина.

Но Арвин уже не помнил, почему он должен был овладеть драконами и победить Грегуса. В его сердце была одна лишь печаль и пустота.

Охотники памяти ушли из здания, забрав с собой последние огоньки света и Арвин остался один перед мерцающим озером воды, не зная кем он был и почему там оказался.

Глава 5

Злодей Грегус

Лой открыл глаза и огляделся вокруг. Он был на другой стороне садов. Но как он там оказался?

Несколько мгновений он силился вспомнить.

-О нет! – воскликнул он, когда память к нему вернулась, - мой храбрый друг йол! Как же мне тебя вытащить оттуда?!

Преодолев свой страх, он тут же ринулся обратно в сады, но те не пускали его, откинув обратно на землю. Растения зашептались и слились в один длинный куст, из которого не было ни выхода, ни входа.

А с неба уже приближались драконы. Они схватили Лоя и понесли прочь. Он долго летел над островом, отчаянно пытаясь освободиться, но увы хватка драконов была железной.

Вскоре они приблизились к огромному замку и бросили его на землю. Когда Лой поднялся, он обнаружил, что вокруг него было множество самых разных драконов и бестолковых ратров, смеющихся над ним. Все они готовы были разорвать его на части, но из ворот замка, к нему уже приближался сам Грегус.

Он был стар, страшен, высок и горбат. Его глаза были черны и полны едкой злости, как будто он никогда в своей жизни не видел ничего радостного. А на груди у него висел переливающийся всеми цветами солнечный камень. Он сидел на огромном троне и ратры подносили ему то еду, то питье, лишь бы порадовать своего господина.

-Приведите его ко мне, - гаркнул Грегус.

Ратры тут же схватили Лоя и бросили его под ноги властелину.

-Ну же, - прохрипел он, шевеля своими скрученными пальцами, - расскажи мне, что за йол прибыл в наши края? И что с ним случилось?

-Я ни скажу тебе ни слова, - тихо сказал Лой.

Он дрожал от страха, но держался изо всех сил, чтобы не выдать своего друга.

-Что ж, - протянул Грегус с противной улыбкой, - я сам вытяну из тебя всё, что нужно.

Он дотронулся до солнечного камня и махнул рукой. К нему тут же прилетел золотой дракон и склонил голову.

-Знаешь кто это? – сказал Грегус обращаюсь к Лою, - это дракон правды...и он заставит тебя рассказать мне всё.

Дракон выпустил столп огня и Лой тут же, против своей воли, рассказал Грегусу обо всём, что знал. И тут же раскаялся об этом, но, увы, было уже поздно.

-Хм...хм, - закряхтел Грегус и встал, — значит, мальчишка хотел свергнуть меня! Как же прекрасно, что его поймали охотники памяти...они сделают его похожим на меня, а мне как раз нужен приемник!

-Нет, - воскликнул Лой, - ты не знаешь Арвина, - он никогда не будет похож на тебя и никогда не станет творить зло, как это делаешь ты!

Но властелин лишь махнул рукой и Лоя увели и бросили в темницу, на самый нижний этаж замка, где было сыро и одиноко.

Затем Грегус сел обратно на свой трон и задумался. Ратры притихли, ожидая того, что он скажет.

-Приведите ко мне ведунью, - крикнул он, наконец.

И вскоре перед ним предстала седая скрюченная старуха, с такими же злыми глазами, как у него.

-Зачем ты звал меня? – спросила она недовольно, но тут же опасливо огляделась вокруг на драконов.

-Покажи мне йола! – приказал он.

-Загляни в свой солнечный камень, - сказала ведунья и сам всё увидишь!

Грегус поднял солнечный камень и стал всматриваться в него. Он тут же увидел Арвина лежащего без сознания и понял, что с ним происходило.

-Я стар, - наконец, сказал он, - а мальчик молод. И теперь, его душа так же беспросветна, как моя. Мы должны вызволить его и научить всему, что знаем, чтобы он занял моё место и стал еще могущественнее меня!

Ратры тут же одобрительно зашептались.

Старуха закружилась и на мгновение её глаза стали бесцветными, как будто она смотрела глубоко вглубь себя. Затем она остановилась и, отдышавшись, посмотрела на Грегуса.

-В водяных садах есть существа, способные вызволить и обучить мальчика всему! Но для этого ты должен отдать им самое ценное воспоминание, что у тебя есть.

Глаза Грегуса наполнились печалью. Хороших воспоминаний у него практически не осталось. Единственное, что радовало его черную душу это память о Мае, которую он до сих пор любил. Но зачем ему нужно было это теперь, когда он был так стар и одинок. Всё, что его заботило, так это то, чтобы кто-то продолжил его злые дела, продолжал угнетать лемуаров и захватывать земли. Пораздумав немного, он согласился.

-Я отдам свое последние воспоминание, - сказал он, - но мальчишка должен оправдать мои ожидания!

Старуха снова впала в транс, а затем тут же удалилась.

В это время Арвин спал глубоким сном, который был внезапно нарушен тихим голосом.

-Арвин, Арвин проснись!

Он открыл глаза и перед ним в потоках воды снова появилось множество глаз. Однако в его сердце было столько тьмы и печали, что он лишь отвернулся. Внезапно, кто-то с силой втянул его в водный поток и Арвин вновь оказался в толще воды, окруженный множеством бесконечных глаз. Они стали приобретать очертания водяных существ, каких Арвин никогда не видел прежде.

-Ты должен проснуться, Арвин, - настаивали они, - Грегус хочет, чтобы ты научился всему и стал еще могущественнее него. За это он отдал самое ценное, что у него было.

Мысль о власти разбудила Арвина. Он вспомнил кем был и то, что должен был подчинить себе драконов.

-Кто вы? – спросил он злобно.

-Мы существа знания, - ответили они, - и обладаем силой подчинять себе любые чувства и эмоции. Каждый дракон - это сила, как хорошая, так и плохая. И овладеть драконом ты сможешь только лишь если овладеешь всеми силами внутри себя в совершенстве.

Перед Арвином тут же возникло множество иллюзорных драконов, и мальчик видел какой силой они обладают.

-Ну же, - сказали существа знания, - овладей своей печалью, злостью и жадностью, и ты станешь повелевать ими!

Арвин долго пытался это сделать. Он приказывал драконом, но они не слушались его. Однако, чем дольше он старался, тем больше у него получалось. И он уже чувствовал, как власть и могущество приближались к нему. Однако он не способен был овладеть светлыми силами радости, счастья и любви и это злило его настолько, что вскоре даже существа знания стали бояться его. И выполнив своё обещание, они выпустили его из садов на свободу.

В это время Лой сидел в темнице. В отчаянии он вспоминал слова Грегуса, о том, что его друг теперь станет таким же злодеем, как и он. Ему было очень страшно, но, его вдохновляли воспоминания о том, как Арвин смело смотрел драконам в глаза и преодолевал все препятствия на их пути. Он знал, что тоже должен был сделать что-то, но увы, он думал, что выбраться из темницы он уже не сможет никогда.

Однако внезапно что-то пронеслось у него перед глазами и остановилось прямо перед ним. Это была птица, которая тут же превратилась в человечка.

-Диариус! – с радостью воскликнул Лой. Он их видел когда-то давно только лишь в детстве, но знал, что они служили благородному роду лемуаров.

-Да, это я, - сказал человечек, - меня прислала твоя сестра Эльма, до которой дошли слухи, что ты попал в тот же замок, где заключена и она. Я помогу тебе выбраться, однако ты должен добраться до самого верхнего этажа замка и освободить её.

Лой вздрогнул от страха, но тут же взял себя в руки. Он знал, что не мог больше бояться. От этого зависела жизнь его друзей.

Диариус превратился в множество птиц. Они летали по подземелью и наблюдали за стражниками, подслушивали их разговоры, а затем, увидев ключ, незаметно вытащили его и принесли Лою.

-Говорят, что в замке у ратров намечается пир, - сказал диариус, - и все стражники будут там. В это время ты и должен сбежать, а двери башни Эльмы я открою сам, - с этими словами, он выпорхнул из темницы и исчез.

Лой так и сделал. Он дождался момента, когда в коридорах стало пусто и открыл дверь. Он вспомнил, как когда-то давно уже бывал в этом замке и следуя своей памяти без труда нашел путь к башне, где сидела его сестра.

Однако внезапно его заметил один из ратров стражников. Он тут же стал кричать и звать на помощь, но Лой запел свою тихую песню и цветы из горшков на полу стали виться и крутился. Они поднялись у скрутили ратра, зажав ему рот. А Лой выхватил ключ и освободил свою сестру.

Как же они были счастливы видеть друг друга, ведь они были в разлуке множество лет.

-Как же ты похорошела выросла, сестра Эльма! – обнимая её сказал Лой.

-Каким же ты стал храбрым, мой дорогой брат Лой, - воскликнула она.

-Всё это благодаря моему другу йолу из города в облаках! – ответил он и тут же рассказал ей о нем.

Но внизу раздались крики ратров и они тут же бросились бежать прочь из замка, спускаясь по крученным лестницам и стараясь быть незамеченными. Они хорошо знали замок и все его тайные ходы и выходы. Но, увы, как только они выбрались наружу их тут же окружили драконы.

-Куда это вы собрались? – спросил один из них.

-Отпустите нас, - взмолилась Эльма, - неужели вы не устали от того, что вас угнетает Грегус?! Неужели вы не хотите свободы, как это было раньше?

Драконы задумались и их глаза погрустнели.

-Пока властелин Грегус обладает солнечным камнем не видать свободы ни нам не вам!

С этими словами они выдохнули столп огня, схватили Лоя и Эльму и отнесли обратно в замок.

Как же был зол Грегус узнав, что они пытались сбежать. Он тут же приковал их обоих к огромному столбу перед замком, где тут же собралась толпа ратров.

-Вы собирались сбежать, - потирая руки сказал он, - а я приготовил для вас сюрприз.

Ратры расступились и из толпы вышел Арвин. Лой ахнул увидев, как он изменился. Его глаза были черны и злы и казалось, в них не осталось ни каплей прежней доброты и надежды. А его неуверенность пропала, как будто её не было никогда.

-Хахаха, - засмеялся Грегус, - покажи, мой юный друг, на что ты способен!

-Да, мой господин, - ответил йол и поднял руки к небу.

Сотни драконов тут же слетелись к нему и преклонили голову.

-Теперь он может управлять ими даже без солнечного камня, - продолжая смеяться сказал Грегус, - и вместе мы сотворим множество ужасных дел!

Однако Лой и Эльма заметили, что не все драконы подчинялись Арвину. Они только грустно отступили в сторону. То были драконы светлых сил.

Но Грегус и ратры ликовали, а Арвин покорно ждал его указаний, и надежда на светлое будущее угасала в сердцах Лоя и Эльмы.

-Пусть эти двое останутся жить до утра, чтобы попрощаться друг с другом - сказал Грегус, - а после Арвин сам прикажет драконам съесть их на завтрак.

Глава 6
Феи волшебного леса

Наступил вечер. Ратры разошлись, а Грегус отправился на покой. Арвина же повели в замок для того, чтобы рассказать о планах властелина, в которых ему предстояло принять участие. А благородные лемуары так остались в одиночестве привязанными к столбу.

-Что же нам делать, сестра? – спросил Лой в отчаянии.

Эльма задумалась.

-У меня во всем мире остался только один друг, - сказала она и тихо позвала его, - диариус! Диариус!

Человечек тут же появился рядом.

-Как же мне жаль, госпожа, что вам не удалось сбежать, - сказал он грустно и виновато, - и что мне не удалось вам помочь! А более всего горюю я о том, что это я привел йола на остров.

-Ты не виноват в этом, - ответила Эльма мягко, - ты многое для меня сделал, и я благодарна тебе за это. Но, возможно, ты мог бы помочь нам еще один раз?

-Конечно, - с готовностью ответил человечек, - что я должен сделать?

-Отправляйся к лесным феям и, подслушай их разговоры и узнай, как нам снова пробудить добро в нашем друге Арвине. Но торопись, времени осталось мало!

-Будет сделано, - ответил диариус.

И, хотя дело это казалось ему безнадежным, он тут же превратился в стайку маленьких птиц и разлетелся по небу.

Диариус мчался к волшебному лесу так быстро как только мог. Он знал, что должен был оставаться незамеченным, ведь лесные феи всегда враждовали с диариусами и оба народа обходили друг друга стороной. Кроме того, он никогда не видел их, но слышал, что феи были капризными и никогда не делали то, что им говорят.

Человечек приблизился к лесу и сел на одно из высоких растений. Он прислушался. Лес спал. Деревья шелестели от ветра и будто дышали. А существа собирались ко сну. Но не феи.

Когда диариус приблизился к их городку, находящемуся в глубине, он увидел, что они были в разгаре веселья. Феи были красивы и светились волшебным счастьем. Они смеялись, танцевали и разбрасывали вокруг волшебную пыль, которая фейерверками разлеталась по небу. Диариус увидел их впервые и, несмотря на многовековую вражду, они очень понравились ему.

«Что же они празднуют?» - спросил себя человечек и подлетел поближе. Вскоре он выяснил, что это был праздник коронации новой королевы фей. Он тут же увидел её и остолбенел от того, как она была прекрасна. Почему же их народы враждовали, спрашивал он себя и не находил ответа.

Внезапно волшебная пыль попала на него. Диариус попытался отряхнуться, но было уже поздно. Он будто окунулся в океан бесконечного счастья, где казалось не было ни прошлого, ни будущего. Он тут же забыл о благородных лемуарах, которые были в беде. Забыв обо всем, он выпорхнул в разгар толпы фей и пустился под музыку в пляс.

Феи тут же закричали, схватили человечка и связали его волшебными нитями. Музыка прекратилась и праздник остановился.

-Диариус! – закричали они, - диариус!

К нему тут же подлетела королева. Она была хрупкой, но в её глазах была несгибаемая воля.

-Зачем ты проник в наше королевство? – спросила она.

Опьяненный их волшебством диариус расплылся в улыбке.

-Я пришел, - ответил он, - чтобы сказать, что вы самое прекрасное, что я видел на свете!

Королева польщенно улыбнулась. Однако феи тут же облили человечка холодной водой и память начала возвращаться к нему. Он тут же рассказал им о том, зачем пришел, умоляя о помощи.

-Почему мы должны помогать вам, диариусам, которые всегда враждовали с нами и которые служат каким-то лемуарам? – гордо спросила фея, - мы феи не служим никому!

-Да, - ответил диариус, - мой народ всегда обходил вас стороной, но сейчас я вижу, что это было напрасно, ведь вы воплощение света и добра!

Кроме того, это первый день вашего правления, королева, и почему бы вам не начать его с такого прекрасного поступка, как помощь диариусам и лемуарам. Пусть это станет началом дружбы наших народов!

Фея задумалась. Она тоже никогда не видела диариусов и этот человечек казался ей интересным.

-Зачем нам ему помогать? – закричали феи вокруг, - нам не нужно ни с кем дружить! Тем более с диариусами! Нам хорошо самим по себе!

Королева слушала их крики и наконец топнула ногой.

-Решено! Мы не станем вам помогать! – заключила она.

Диуариус тут же опустил голову.

-Хотя, - королева развернулась, - если диариус обгонит самую быструю из наших фей, возможно, нам стоит изменить свое решение.

С этими словами она хлопнула тонкими ручками. Заиграла музыка и веселье продолжилось.

Феи захохотали. Диариус поник еще больше, ведь он знал, что они были самыми быстрыми существами на земле, и обогнать их еще не удавалось никому.

Человечка освободили и вывели в лес. Перед ним тут же появилась одна из фей, самая быстрая из всех. Она смеялась, обещая обогнать его в два счета.

-Тот, кто быстрее облетит весь лес по кругу, победит и получит награду! – возвестила королева и хлопнула в ладоши.

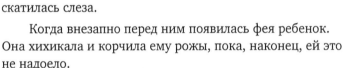

Раздался сигнал. Бедный диариус только успел превратиться в птицу, как его соперница фея тут же исчезла из виду. Облетев небольшую часть леса, он остановился у озера и сел на землю отдышаться. Он знал, что никогда не смог бы победить и помочь своим друзьям. По еще щеке скатилась слеза.

Когда внезапно перед ним появилась фея ребенок. Она хихикала и корчила ему рожы, пока, наконец, ей это не надоело.

-Это тебе от королевы, - сказала она и вручила ему маленький сверток, а затем упорхнула и исчезла.

Диариус открыл его. Внутри был пузырек волшебной пыли с надписью «Диариусу, обожателю фей от королевы». Человечек удивился, но тут же выпил его.

В следующее мгновение он почувствовал невероятный прилив сил. Он тут же взметнулся в воздух и помчался так быстро, как никогда не удавалось ни одной фее прежде. В два счета он облетел весь лес вокруг три раза и остановился у ног королевы, а его соперница фея все еще не появилась.

Феи ликовали, хохотали и хлопали в ладоши!

-Диариус победил! – кричали они, - как же мы недооценивали народ диариусов! Он заслужил награду!

Они требовали, чтобы королева наградила его во что бы то ни стало.

-Что ж, - сказала та, - за свою победу ты заслуживаешь того, чтобы мы помогли твоим друзьям!

Королева и остальные феи закружились в воздухе, а затем уселись в круг. Они замолчали. Внезапно ветер стих, шелест листьев прекратился и в лесу стало так тихо, будто бы кто-то забрал все звуки леса разом.

Диариус боялся дышать, чтобы не испортить их единение. Он наблюдал как феи стали переливаться самыми прекрасными цветами, какие он только видел в своей жизни. А затем внезапно это прекратилось, и они снова засмеялись и пустились в пляс.

-Мы сделали то, что ты просил, - сказала королева, - мы попросили духов предков помочь твоим друзьям, а остальное от нас не зависит. Отправляйся домой и расскажи своим народам о силе фей и о том, как они помогли тебе!

-Благодарю тебя, королева, - сказал диариус, - я никогда не забуду о том, что ты для меня сделала.

Но она только хитро улыбнулась и исчезла.

В это время Арвин спал в замке крепим тяжелым сном. Он будто провалился в бесконечную тьму, из корой не было выхода и из которой, то и дело возникали грустные образы прошлого. Он ворочался, мучаясь во сне, когда внезапно перед ним появился йол. Он был старше Арвина и глаза его лучились мудростью и добротой, которая казалось молодому человеку странной и незнакомой.

-Здравствуй Арвин, - сказал йол, - как же я рад тебя видеть.

-Кто ты? – спросил мальчик с неприязнью.

-Я Уль, - ответил йол, - тот самый йол, что достал с небес солнечный камень.

-Я ничего о тебе не знаю и знать не хочу, - ответил Арвин.

-Арвин, Арвин, - сказал Уль мягко, - как же ты мог забыть город йолов посреди облаков? Запах семиста сортов муки и свежевыпеченного хлеба, свежий ветер в облаках по утрам, молчаливую улыбку Рузельды? А легенды старика Грохана? И как радовался ты, когда победил на празднике муки?

Арвин задумался. Казалось, всё это находилось глубоко в недрах его памяти, но было так недостижимо.

-Я пришел, чтобы напомнить тебе обо всём этом, - сказал Уль, - и о твоих благородных стремлениях. Ведь ты хотел отправиться за облака непросто так…ты хотел упасть в небеса, чтобы стать не просто йолом…

Внезапно свет пробудился в душе Арвина. Сначала будто маленький огонек, который затем разрастался, заполняя собой всё его существо. Все прекрасные воспоминания разом вернулись к нему.

-Я всё помню, - воскликнул он, - помню радость и добро и счастье!

Уль улыбнулся.

-До рассвета времени осталось мало, друг мой, - сказал он, - поэтому скажу тебе о самом главном, зачем я пришел.

Арвин тут же приготовился слушать и его черные глаза наполнились светом и радостью.

-Ты в совершенстве научился управлять своими темными чувствами и эмоциями, теперь же сделай то же самое со светлыми, чтобы никогда и никогда больше не смог их отнять!

-Но как могу сделать это я...простой йол? – спросил Арвин, к которому вернулась его неуверенность в себе.

Уль покачал головой и улыбнулся.

-Чтобы победить Грегуса и научиться управлять драконами, ты должен победить самого последнего дракона...и поверить...что у тебя драконье сердце! Йол с драконьим сердцем способен совершать чудеса! Но сделать это можешь только ты сам, -поторопись же, - сказал он, - времени осталось мало!

На этих словах Уль стал медленно растворяться в воздухе, а на его месте возник огромный дракон. Он выдохнул столб огня и Арвин почувствовал такую неуверенность в себе, какую не чувствовал никогда. Однако, он вспомнил слова Уля и всех своих друзей и закричал так громко, как только мог, а затем поднял руки к небу и подчинил себе дракона, который тут же склонил голову.

Арвин почувствовал, как всё его существо наполняется силой, светом и уверенностью. И ощутив это, он проснулся.

Ратры подносили ему подносы с едой и питьем.

-Властелин Грегус ожидает вас, - сказали они, - чтобы казнить непокорных лемуаров!

Отказавшись от еды Арвин поднялся и вышел на площадь, где был привязан его друг Лой. Увидев Эльму, он тут же понял, кем она была и удивился тому, как она была прекрасна.

Ратры и драконы столпились вокруг, ожидая казни, Грегус же сидел на своем троне.

-Вот и он, мой дорогой йол, - закряхтел он, увидев мальчика - готов ли ты уничтожить своих друзей?!

-Я не сделаю этого, - сказал Арвин твердо.

Лой и Эльма радостно переглянулись и в их глазах засветилась надежда. Ратры зашептались.

-Тогда, я сделаю это сам, - недовольно гаркнул Грегус, - а затем, уничтожу и тебя!

Он встал и поднял руки к небу.

-Драконы, - приказал он, - уничтожьте лемуаров и этого непокорного йола!

Но драконы не двинулись с места. Только огромный красный дракон поднялся в воздух и приземлился перед ним.

-Долго же ты, управлял нами, - сказал он, - и правил жестоко и беспощадно, угнетая нас, как когда-то мы угнетали народ лемуаров. Теперь же твое правление окончено и у нас новый господин!

-Как?! – недоумевал Грегус, - как вы посмели ослушаться меня?!

Но драконы обступили его, готовые испепелить.

-Стойте, - сказал Арвин, - без своей силы он всего лишь немощный старик.

С этими словами он сорвал с его шеи солнечный камень.

-Убирайся прочь и больше никогда не возвращайся на остров Драконов! – приказал йол.

Ругаясь и проклиная всех, Грегус направился вслед за ратрами. А Арвин освободил своих друзей, рядом с которыми радостно парил диариус.

Однако взгляды всех драконов были направлены на него.

-Что ж, - сказали они, - теперь ты способен повелевать нами и тот, кто получит солнечный камень, будет обладать такой же властью. Мы надеемся, что ты распорядишься своей силой мудро...

Арвин задумался.

-Я решил, - сказал он, наконец, - что освобожу вас! Вы долго находились под гнетом Грегуса и поняли, как чувствовали себя лемуары, когда вы угнетали их.

С этими словами он с силой бросил солнечный камень и разбил его на множество осколков.

Увидев это, драконы все как один склонили головы перед Арвином.

-За твою мудрость и доброту, мы вечно будем у тебя в долгу, - ответили они, - мы никогда не будем угнетать лемуаров и будем жить с ними в мире!

-Что ж, - сказал Арвин, - тогда у меня к вам будет одна просьба. Помогите мне добраться обратно в город йолов, город посреди облаков.

-Это будет для нас честью, - ответили драконы.

Лой и Эльма радостно захлопали в ладоши.

-Как же я рад, что ты снова стал самим собой, мой дорогой друг йол! – сказал Лой и обнял его. А Эльма застенчиво улыбнулась.

-И, если ты не против, я отправлюсь вместе с тобой! – добавил он.

-Разве ты не боишься? – спросил Арвин.

-В моем сердце больше нет страха, - ответил Лой,- а только жажда приключений.

Арвин улыбнулся, собираясь отправиться домой, но Эльма остановила его, приглашая в замок.

Глава 7
Дары

-Ты не можешь уйти просто так, - сказала Эльма, - в замке множество ценных вещей, привезенных со всех концов света. Грегус никого не подпускал к ним долгие годы, однако мы в долгу перед тобой. И за твои подвиги, ты можешь выбрать всё, что тебе понравится.

Арвину ничего не было нужно, однако он не мог отказать Эльме, которая так хотела его отблагодарить. Вместе они спустились в недры замка, где было множество золота и богатств.

-Бери всё, что захочешь, - сказала Эльма.

Арвин рассматривал диковинные вещи самых разных форм, но среди всего этого великолепия выделялся огромный камень, который сверкал так ярко, что освещал весь зал.

-Что это? – спросил он Эльму.

-Это окаменевшее сердце дракона, самого огромного из всех, каких видел мир - ответила она, - говорят, оно способен творить чудеса…однако никто не способен сдвинуть его с места уже множество веков. Говорят, что только тот, у кого драконье сердце может сделать это.

-Именно это мне и нужно, - ответил Арвин и с легкостью взял его в руки.

Теперь он знал, как отблагодарить благородных Ихаров.

Эльма ахнула. Каким же прекрасным, сильным и умным казался ей этот йол. Она тут же предложила ему помочь ей править королевством острова Драконов.

Арвину очень хотелось остаться и ему стало грустно от одной только мысли, что ему придется покинуть это место. Однако он помнил, что должен был вернуть долг благородным Ихарам, увидеть свою семью и рассказать йолам о том, что видел. Поэтому он попрощался с Эльмой, пообещав ей вернуться, и вместе с Лоем взобрался на спину золотого дракона.

Дракон тут же взмыл в воздух и не прошло и нескольких часов, как вдалеке в небесах среди облаков появился город. Только сейчас Арвин осознал, как скучал по нему. А Лой закричал от радости видя его.

Дракон приземлился прямо во дворе дома благородных Ихаров. Они тут же вышли и обступили его, с восхищением и замиранием сердца глядя на дракона.

-Я вернулся, - сказал Арвин, - и принес вам то, что вы просили.

Он достал окаменевшее сердце дракона и протянул его им.

Благородные Ихары взяли его в руки. И тут же случилось чудо. Облака, окружающие город йолов расступились, открывая множество дорог и бесконечные виды до самого горизонта.

Йолы повыскакивали из своих домов, а многие из них забирались на крыши, чтобы посмотреть, что произошло. Они поверить не могли, что было что-то за пределами их города, а тем более в то, что теперь все дороги в мир были для них открыты. Они увидели вдалеке города и страны, которых никогда не видели раньше. И теперь им во многое предстояло поверить и многое узнать.

-Значит, тебе все-таки удалось упасть в небеса, - сказали благородные Ихары, - и теперь ты самый великий йол из всех. Как же мы тобой гордимся!

Арвин только лишь улыбнулся.

-Без вас, я бы никогда не выбрался за пределы города в облаках.

Затем он отправился домой и обнял старика Грохана и молчаливую Рузельду. Как же рады они были его видеть! Он познакомил их с Лоем и обещал взять их собой в дальние страны, чтобы повидать невероятные места и вещи. Но это уже другая история.

Зинаида Кирко

Спасибо что читаете книги нашего проекта!

Мы рады, что вы отправились с нами в незабываемое путешествие с й и невероятными приключениями!

На книжных полках нашего сада-сайта есть и аудио книги!

Скоро появятся комиксы и принты самых удивительных героев наших книг и историй!

Добро пожаловать!

Оставайтесь с нами!

Книги издаются на английском и русском языках.

Книги нашего проекта

WELCOME TO
THE HAPPY STORY GARDEN

https://thehappystorygarden.co.uk

Milton Keynes UK
Ingram Content Group UK Ltd.
UKHW021136130524
442628UK00014B/644